Enid Blyton

Oui-Oui

à la plage

Illustrations de Jeanne Bazin

HACHETTE
Jeunesse

Un matin, Oui-Oui fut réveillé de très bonne heure par une série de coups sur la porte de sa petite-maison-pour-lui-tout-seul.

«Pan, pan, pan !… »

« Qui peut bien me déranger de si bonne heure ? songea Oui-Oui. C'est peut-être un client très pressé qui veut que je l'emmène dans mon taxi… »

La petite tête du pantin se mit à se balancer à toute vitesse. Il alla ouvrir et découvrit Potiron, son meilleur ami, qui paraissait très agité.

« J'ai une idée ! dit celui-ci. Prépare-moi un bon café et je te raconterai de quoi il s'agit. »

Quand Oui-Oui eut fait sa toilette et qu'ils furent tous deux installés devant leur bol de café, Potiron déclara :

« Voilà, j'ai pensé que nous pourrions prendre des vacances et partir au bord de la mer !

— Le bord de la mer ? s'écria Oui-Oui. C'est une excellente idée, mais où est-ce ?

— C'est un endroit délicieux, avec du sable pour construire des châteaux et une grande étendue d'eau bleue ! » expliqua le nain.

En entendant cela, Oui-Oui voulut partir sur-le-champ. Mais il devait d'abord préparer sa valise et faire sa petite vaisselle.

Oui-Oui ne mit pas longtemps à préparer ses affaires.

« N'oublie pas ton costume de bain ! » lui cria le nain. Pour cela, pas de danger. C'était la première chose que le petit pantin avait mise dans sa valise. Sa brosse à dents, en revanche, il faillit bel et bien l'oublier !

« Pouh ! Pouh ! Pouh ! »

« Tu entends ça, Potiron ? s'exclama Oui-Oui. C'est ma petite auto qui a hâte de partir ! Ne la faisons pas attendre plus longtemps…»

Et hop ! Après avoir accroché la bicyclette de Potiron à l'arrière du taxi, ils démarrèrent.

« Bonne route ! » leur souhaitèrent les jouets qu'ils croisèrent.

Oui-Oui avait tellement hâte d'arriver au bord de la mer, qu'il roulait vraiment très vite.

« Ralentis ! lui demanda Potiron. La mer est là depuis longtemps, elle ne risque pas de s'en aller… »

Tout à coup, la voiture roula sur une bosse. Potiron perdit son bonnet et manqua même de passer par-dessus bord.

« Désolé, s'excusa Oui-Oui. Je suis si joyeux que je fais des gestes trop brusques. Dans ces cas-là, ma voiture se conduit brutalement elle aussi ! »

Il promit cependant de faire plus attention.

Mais un peu plus loin, il y eut une autre bosse. Cette fois, le vélo de Potiron se décrocha et tomba sur la route. Heureusement, il n'était pas cassé, mais Potiron insista pour le prendre avec lui dans l'auto. Conduire avec un guidon dans le cou n'était pas très facile ! En voulant éviter une vache qui traversait sous son nez, Oui-Oui faillit faucher tout un troupeau de moutons !

« Regarde ! fit alors Potiron. Un poteau indicateur !

— Et qu'est-ce qu'il indique ? demanda Oui-Oui.

— LA MER ! s'exclama Potiron. Nous sommes bientôt arrivés ! »

Oui-Oui roula encore un peu, puis il arrêta la voiture pour regarder.

« C'est quoi, toute cette eau ? demanda-t-il alors en tendant le doigt.

— Mais c'est la mer ! s'écria Potiron.

— La mer ? Mais elle est beaucoup trop grande ! se plaignit Oui-Oui. On ne voit même pas de l'autre côté. Et puis elle bouge tout le temps ! Potiron, je t'en prie, essayons de trouver une mer très petite et immobile ! »

Potiron se moqua gentiment de Oui-Oui et sortit du taxi.

Il ôta ses souliers et ses chaussettes, retroussa son pantalon et courut vers la mer.

« C'est délicieux ! Viens donc barboter avec moi, Oui-Oui ! » s'écria le nain.

Mais Oui-Oui n'était guère pressé de rejoindre son ami.

« Il n'y a que les canards qui barbotent ! gémit-il. Et puis, j'ai peur des vagues ! »

Tout à coup, Oui-Oui se décida. Il se dépêcha d'ôter ses souliers et courut rejoindre Potiron.

« C'est encore mieux que de sauter à pieds joints dans les flaques d'eau après la pluie ! » cria joyeusement Oui-Oui.

Il y eut alors une grosse vague. Potiron n'eut pas le temps d'avertir son ami, mais celui-ci se débrouilla fort bien. Il se laissa soulever par la vague et retomba avec elle.

« C'est magnifique d'être au bord de la mer ! s'exclama Oui-Oui. Potiron, tu as eu une idée excellente ! »

Lorsqu'ils eurent fini de patauger, les deux amis s'assirent au bord de l'eau pour essuyer leurs pieds avec le grand mouchoir de Potiron.

Soudain, Oui-Oui demanda :

« Où habiterons-nous ? Y a-t-il des maisons près de la mer ?

— Naturellement ! répondit Potiron qui lui en montra quelques-unes. Mais j'ai pensé que nous pourrions acheter une tente afin de rester le plus près possible de l'eau. »

Oui-Oui était aux anges. L'idée de dormir sur la plage l'enchantait.

Il enfonça ses doigts dans le sable et en jeta toute une poignée en l'air. Potiron la reçut dans les yeux et piqua une grosse colère.

« Tu es méchant, Oui-Oui. Je t'emmène en vacances et tout ce que tu trouves à faire, c'est me jeter du sable à la figure.

— Je ne l'ai pas fait exprès, s'excusa Oui-Oui. Je suis vraiment désolé ! »

Potiron lui pardonna et décida d'aller au village le plus proche acheter une tente, des pelles, des seaux et des filets de pêche. Peut-être même un voilier !

En attendant le retour de son ami, Oui-Oui ne perdit pas de temps. Il creusa deux beaux trous pour qu'ils puissent s'y installer. Il se coucha même dedans pour vérifier qu'ils étaient assez grands.

Juste au moment où Oui-Oui finissait, Potiron arriva. On le voyait à peine, tant il était chargé !

« La tente ! » annonça-t-il en jetant par terre un gros paquet. Et il se débarrassa peu à peu de toutes ses affaires. Il avait même acheté des sandwiches, des biscuits et de la limonade !

Oui-Oui était très impatient de monter la tente. Il défit le gros paquet, sortit les piquets, les mâts et les cordes. Comme il insistait pour tout faire tout seul, Potiron resta à l'observer. Sacré Oui-Oui ! Il était piètre bricoleur… Il ne sut pas enfoncer les piquets, les cordes ne voulurent pas se tendre, et finalement tout tomba par terre.

« Laisse-moi faire, Oui-Oui », dit Potiron.

Grâce au nain, la tente fut montée en un éclair. C'était une très jolie petite tente que les deux amis visitèrent à quatre pattes.

« Voici mon lit ! » décida Oui-Oui en se couchant. Il se réjouissait à l'idée de dormir sur la plage.

« Ne t'endors pas maintenant ! protesta Potiron. Il ne fait même pas encore nuit…

— Tu as raison, sourit Oui-Oui. C'est plutôt l'heure du goûter. Nous n'avons pas déjeuné et je suis affamé ! »

Alors, ils s'assirent sur le sable et mangèrent leurs sandwiches.

« Comme on est bien ! » s'écria Oui-Oui entre deux bouchées.

Après le goûter, ils décidèrent de construire des châteaux de sable.

« Je vais construire le plus énorme de tous les châteaux ! dit Oui-Oui.

— Le mien sera encore plus grand ! » répliqua Potiron.

Ils se mirent aussitôt à l'ouvrage. Hélas ! à peine avaient-ils fini qu'ils virent la mer s'approcher de plus en plus de leurs châteaux. Bientôt, les vagues les entourèrent complètement.

« Va-t'en, mer ! Retourne d'où tu viens ! » ordonnait Potiron, bien énervé. Mais la mer ne semblait pas du tout comprendre.

Potiron alla donc trouver un polichinelle, un ours en peluche et un cochon rose qui jouaient dans le sable.

« Je ne comprends pas, dit-il, la mer n'arrête pas de nous embêter. Elle est montée pour regarder nos châteaux, et maintenant, elle ne veut plus repartir ! »

Les trois baigneurs éclatèrent de rire.

« Tu n'as jamais entendu parler de la marée ? » demanda le cochon rose. Potiron apprit ainsi que la mer recouvre le sable de la plage et qu'elle redescend ensuite, et cela jour après jour.

D'ailleurs, voilà qu'elle commençait à redescendre.

« Viens avec moi, Oui-Oui ! proposa Potiron. Nous allons pêcher des crevettes… »

Les deux amis enfilèrent leurs petits maillots et entrèrent dans l'eau avec leurs filets, et ils attrapèrent une quantité de petites crevettes. Un gentil marin les rapporta chez lui et les donna à sa femme qui les fit cuire pour Oui-Oui et Potiron. Ils purent donc remporter des sandwiches aux crevettes pour leur goûter qu'ils partagèrent avec l'ours en peluche et le cochon rose.

« La prochaine fois, nous pourrions pêcher des crabes ! suggéra Potiron. C'est délicieux les sandwiches au crabe ! »

Mais comment pêchait-on les crabes ? Personne ne le savait !

Après le goûter, Oui-Oui décida d'aller barboter.

« Ne va pas trop loin ! conseilla Potiron. Tu risquerais de te faire renverser par une vague et de boire la tasse. »

Oui-Oui lui promit de faire attention. D'ailleurs, il n'était pas encore très loin lorsqu'on l'entendit pousser un hurlement.

« Potiron, au secours ! Il y a quelque chose qui me mord le pied. Viens vite ! Aïe, aïe ! »

Pauvre Oui-Oui ! Un énorme crabe était justement pendu à son pied.

« Maintenant, nous savons comment les pêcher ! » plaisanta l'ours en peluche.

Oui-Oui ne trouva pas cela très drôle. Le crabe profita d'un moment d'inattention pour filer sous un rocher et Potiron mit un petit pansement sur le bobo de Oui-Oui.

« Ce n'est pas si agréable que je croyais, le bord de la mer ! » déclara tristement le pantin.

Pour lui changer les idées, Potiron mit le bateau à l'eau.

« Regarde comme il navigue bien ! s'écria le nain. Il vogue aussi bien qu'un vrai. »

Oui-Oui oublia aussitôt son pied et voulut tenir la ficelle tout seul. Le bateau dansait sur les vagues. C'était très rigolo !

Un soir, le ciel se couvrit de gros nuages noirs et le vent se mit à souffler de plus en plus fort.

« Je crois que la tempête se lève ! annonça Potiron. Pourvu que la tente résiste au vent ! »

Les deux amis se couchèrent et commençaient à regretter le confort de leurs maisons lorsque, soudain, une bourrasque s'engouffra sous la toile, arracha les piquets, cassa les cordes et emporta la tente tout entière.

« La tente s'est envolée ! » cria Oui-Oui. Les deux amis passèrent le reste de la nuit blottis l'un contre l'autre sous le vent qui tempêtait au-dessus de leurs têtes. Ce fut vraiment terrible !

Au matin, ils étaient transis de froid.

« Je crois que les vacances sont finies ! déclara Potiron. Il est temps de rentrer chez nous. »

— Hourra ! fit Oui-Oui. J'adore les vacances, mais j'aime aussi beaucoup travailler et gagner de l'argent. »

La pauvre petite auto de Oui-Oui était toute mouillée. Elle avait attrapé un rhume carabiné !

« Nous n'irons pas trop vite ! » promit Oui-Oui.

Leurs compagnons de plage leur souhaitèrent un bon voyage. Ils espéraient beaucoup les revoir bientôt.

En arrivant à Miniville, Oui-Oui pleura presque de joie en découvrant le goûter que leurs amis leur avaient préparé dès qu'ils avaient aperçu le petit taxi.

« Tout le monde est tellement gentil, s'écria Oui-Oui, que j'ai bien envie de chanter une petite chanson ! »

Alors il se leva et il chanta :

« On était bien heureux
De partir en voyage,
Mais on est encore mieux
Dans notre beau village ! »

Oui-Oui se fit tellement applaudir qu'il devint tout rose de plaisir. Sacré petit pantin !

Imprimé en France par I.M.E. - 25110 Baume-les-Dames
Relié par A.G.M. à Forges-les-Eaux
Dépôt légal n° 2736 - Janvier 1999
22.46.3528.04/1
ISBN : 2.01.223528.X
Loi n° 49-956 du 16 juillet 1949
sur les publications destinées à la jeunesse